I'r wyrion a'r wyresau
Elli, Harri, Rhys, Efa, Gruff a Tomos

DAVID MELLING
ADDASIAD CYMRAEG GAN GILL SAUNDERS JONES

Roedd yn fore braf o wanwyn.
Ust! Beth ydy'r sŵn 'na sy'n dod o gefn yr ogof dywyll?

Douglas yr arth fach frown sy'n deffro!

One spring morning a big yaaawwwwwn came from the back of a deep dark cave.

It was a young brown bear and his name was Douglas.

'Dwi eisiau cwtsh,'

meddai Douglas.

'I need a hug,' said Douglas.

Felly dyma fo'n
tynnu ei byjamas,

So he wriggled out of his pyjamas,

brwsio'i wallt,

brushed his hair,

rhoi sgarff amdano
a mynd i chwilio am gwtsh.

put on a scarf and went to look for one.

'Cwtsh MAWR yw'r gorau,' meddyliodd Douglas.
Aeth at y peth mwyaf y gallai ddod o hyd iddo,
lapio'i freichiau amdano a'i wasgu'n dynn.

'My best hugs are BIG,' thought Douglas so he went up to the biggest thing he could find,
wrapped his arms all the way round and gave it a squeeze.

Ond doedd o ddim yn teimlo fel cwtsh go iawn.

It didn't feel quite right.

'Www!' meddai Douglas. 'Mae'n rhy …

'Oooh!' grunted Douglas. 'It's a bit too …

… drwm!'

… heavy!'

'Cwtsh

TAL

yw'r gorau,'
meddyliodd
Douglas.

Aeth at y peth
talaf y gallai
ddod o hyd iddo.

'My best hugs are TALL,'
thought Douglas.

So he went up to the tallest
thing he could find.

Rhoddodd gwtsh i'r gwaelod …

He hugged the bottom …

cwtsh i'r canol …

he hugged around the middle …

a chwtsh mor uchel ag y gallai estyn.

and he hugged as high as he could reach.

Ond doedd hynny ddim yn teimlo'n iawn. Roedd y pren yn arw.

But it was all wrong. And it had splinters.

Cwtsh **CLYD** yw'r gorau,' meddyliodd Douglas gan drotian at y llwyn mwyaf cysurus yn y goedwig.

'My best hugs are comfy,' thought Douglas and he trotted towards a cosy-looking bush.

Rhoddodd gwtsh i'r llwyn ond doedd hynny ddim yn teimlo'n iawn. Roedd y dail ...

He cuddled the bush but something felt very odd.
The leaves quivered and trembled ...

yn ysgwyd
ac
yn crynu ...

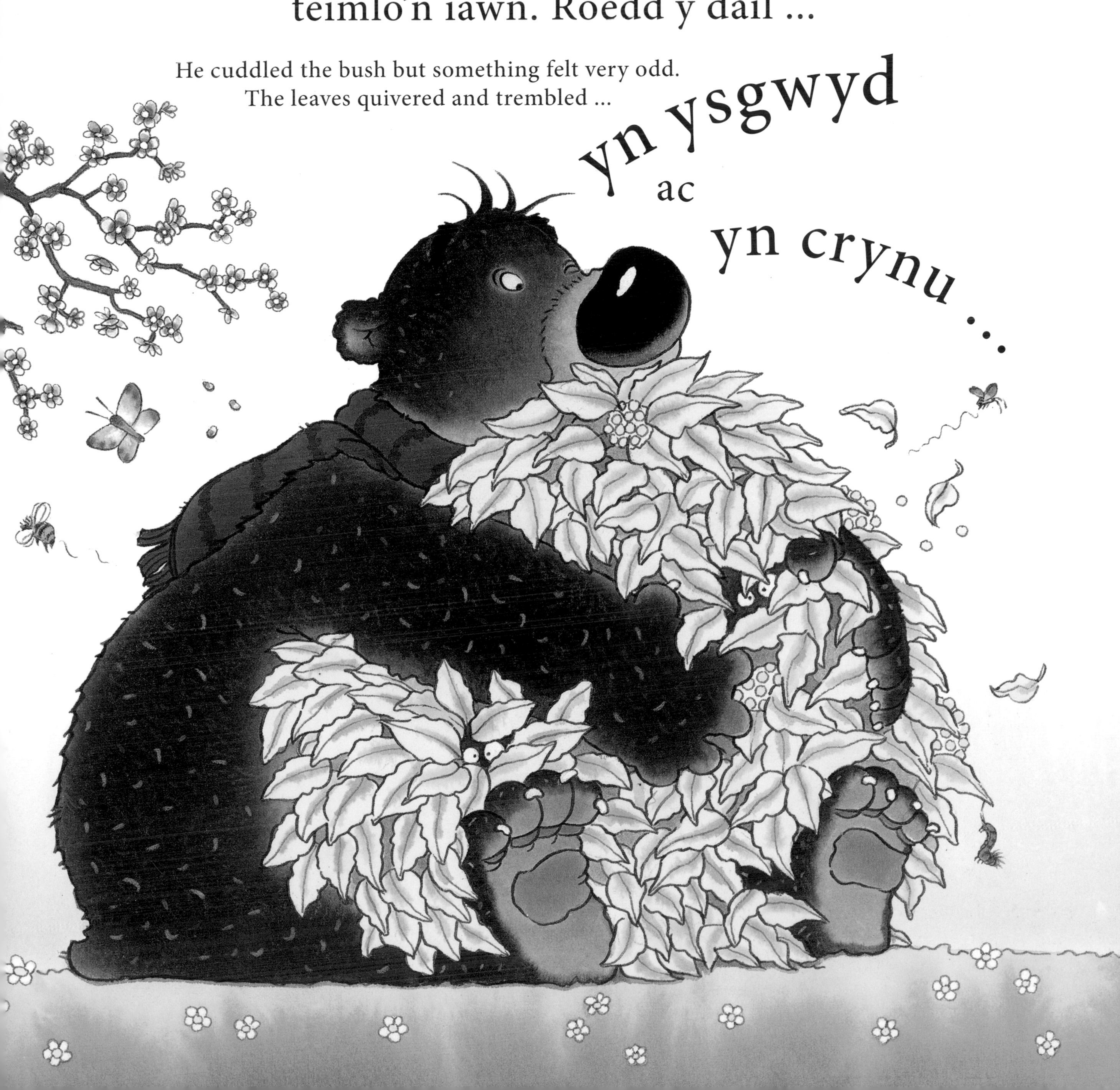

... a rhedodd y llwyn i ffwrdd!

... and ran away!

'Dwi eisiau cwtsh!'
gwaeddodd Douglas.
'Give us a hug!'
cried Douglas.

'Na!' brefodd y defaid, 'rydyn ni'n rhy brysur.'

'No!' baa-ed the sheep, 'we're too busy.'

Ond cododd Douglas lond côl o ddefaid gan geisio rhoi cwtsh iddyn nhw. Doedd y defaid ddim yn hapus. Roedden nhw'n cicio ac yn cwyno.

He scooped up armfuls anyway and tried to cuddle them gently, but they kicked and squirmed and didn't like it at all.

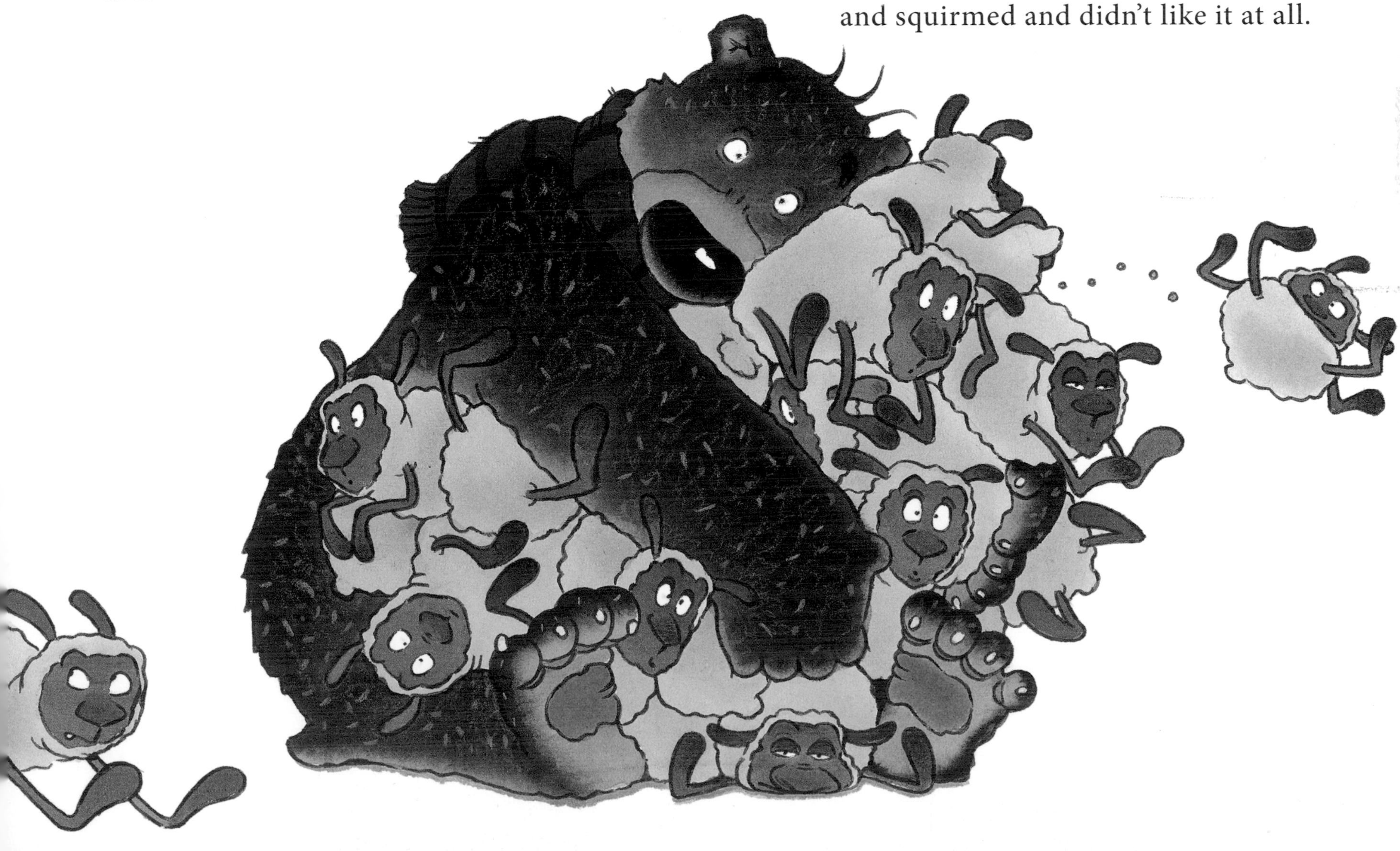

Druan o Douglas!

'Pam na alla i ddod o hyd i gwtsh?' gofynnodd.

Poor Douglas! 'Why can't I find a hug?' he said.

'Pan fydda i eisiau cwtsh, mi fydda i'n eistedd ar y goeden,' meddai'r dylluan ddoeth.

'If I want a hug,' said a wise owl, 'I sit in my tree and – '

'Wel, am syniad da!' meddai Douglas gan ddringo at ymyl y dylluan. Ond cyn pen dim roedd mewn trafferth mawr!

'Let me try!' whooped Douglas and he scrambled up next to the owl. But he soon found himself in a clumsy muddle.

'Twwwww-wit Tw-hw!' meddai'r dylluan yn flin.

'Twoooooooo Twit!' said the owl crossly.

Dim ond cwtsh
o’n i eisiau,’
meddai Douglas
gan snwffian yn
drist.
‘Tybed oes ’na un
i lawr fan hyn?’
Teimlodd rywbeth blewog
â chlustiau hir. Dyma fo’n
rhoi plwc sydyn iddo.

‘I only wanted a hug,’ sniffed Douglas.
‘Perhaps there’s one down here?’
He felt something long-eared and rabbity and gave it a tug.

'Doedd y gwningen fach ddim eisiau cwtsh,' meddai Douglas gan snwffian yn drist. Snwffiodd eto, a sychu ei drwyn yn y gynffon flewog mewn camgymeriad.

Douglas could tell the rabbit didn't want a hug. He sniffed again and, without thinking, wiped his nose on the fluffy end.

'Esgusoooooodwch *fi!*' gwaeddodd y gwningen yn flin. 'Gollynga fi!'

'Excuuuuse me!' shouted the rabbit. 'Put me down!'

'Ond dwi eisiau cwtsh,'

meddai Douglas,
'a dwi'n methu dod o
hyd i un yn unman.'

'But I need a hug,' said Douglas,
'and I can't find one anywhere.'

'O, dwi'n gweld,'
meddai'r gwningen
yn garedig.
'Tyrd efo fi.'

'Oh, I see,' said the rabbit kindly.
'Come with me.'

Gafaelodd ym mhawen Douglas …

He took Douglas by the paw …

… a mynd â fo am dro.

… and led him round and about.

O’r diwedd, daeth y ddau at ogof dywyll lle roedd rhywun cysglyd ar fin deffro.

At last they came to a deep dark cave cave where a sleepy someone was just waking up.

'Aaaaaggg
'Yaaaawww

ooorrrrcccceeeeeeeg!
wwwwwwwwwwnnnnnnn!

Dyma Douglas yn sbecian i mewn i'r ogof.
Teimlai rywsut ei fod yn adnabod
y rhywun oedd y tu mewn yn dda iawn.

Douglas peeped inside. He had the funniest
feeling that he knew the someone very well.

'CWTSH?'
gofynnodd Douglas,
gan redeg fel y gwynt at ...

'HUG?' asked Douglas,
and ran as fast as he could towards...

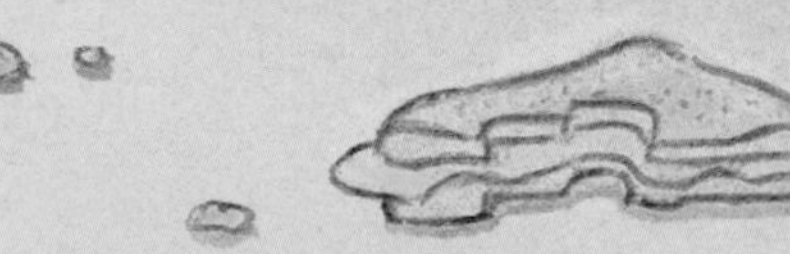

… MAM!

… his MUM!

Swatiodd yn ei breichiau cynnes, a chofiodd
Douglas fod y cwtsh gorau yn y byd
i'w gael gan rywun roedd yn ei garu.

'Come to think of it, my best hugs are from someone I love,' said Douglas.
And he snuggled into the biggest, warmest arms he knew.

Cwtsh yn y canol
Sandwich Hug

Cwtsh nos da
Goodnight Hug

Cwtsh wyneb i waered
Upside-Down Hug

Cwtsh cydio'n dynn
Don't-let-Go Hug

Cwtsh wrth ddisgyn
Falling Hug

Cwtsh swil
Shy Hug

Cwtsh criw
Group Hug

Cwtsh cefn wrth gefn

Back-to-Front Hug

Cwtsh i un!

Solo Hug

Cwtsh o gwmpas y canol

Tummy Hug

Cwtsh cadwyn

Daisy-Chain Hug

Cwtsh mawr

Big Hug

Eisiau cwtsh?

Come-and-Get-it Hug

Cwtsh syrpréis

Unrequited Hug

Y fersiwn Saesneg

Hugless Douglas gan David Melling

Cyhoeddwyd gyntaf gan Hodder Children's Books, 338 Euston Road, Llundain NW1 3BH

Mae Hodder Children's Books yn rhan o Hachette Children's Books sy'n rhan o Hachette UK

Y fersiwn Cymraeg

Addaswyd gan Gill Saunders Jones

Golygwyd gan Adran Olygyddol Cyngor Llyfrau Cymru

Dyluniwyd gan Owain Hammonds

Mae'r cyhoeddwr yn cydnabod cymorth ariannol Cyngor Llyfrau Cymru

Cyhoeddwyd yn y Gymraeg gan Atebol Cyfyngedig, Adeiladau'r Fagwyr,

Llanfihangel Genau'r Glyn, Aberystwyth, Ceredigion SY24 5AQ yn 2012